GUILI LAPIN

kaléidoscope
les lutins de l'école des loisirs
11, rue de Sèvres, Paris 6e

Les illustrations de ce livre sont une combinaison
de dessins à la plume et de photos numériques ;
la mise en couleurs, le sépia des photos
et la suppression des climatiseurs,
poubelles et autres détritus industriels
ont été réalisés par ordinateur.

Texte traduit de l'américain par Élisabeth Duval
ISBN 978-2-211-09551-8
Première édition dans la collection «lutin poche» : mai 2009
© 2009, l'école des loisirs, Paris
© 2007, Kaléidoscope, Paris, pour l'édition en langue française
© 2004, Mo Willems pour le texte et les illustrations
Titre de l'ouvrage original : KNUFFLE BUNNY (Hyperion Books for Children, NY)
Loi n° 49.956 du 16 juillet 1949 sur les publications
destinées à la jeunesse : mars 2007
Dépôt légal : novembre 2017
Imprimé en France par I.M.E. by Estimprim à Autechaux

GUILI LAPIN

UN CONTE MORAL DE **Mo Willems**

Il n'y a pas si longtemps, Trixie,
qui ne parlait pas encore
à cette époque,
sortit avec son papa...

Trixie et son papa descendirent la rue,

passèrent devant l'école,

et s'arrêtèrent devant la laverie.

Trixie aida son papa à mettre le linge dans la machine.

Elle réussit même
à glisser la pièce
dans la fente de l'appareil.

Puis ils quittèrent
la laverie.

Mais en remontant
la rue...

Trixie s'aperçut

de quelque chose.

Trixie leva la tête vers son papa et dit :

« Tu as raison »,
répondit son papa,

« on rentre à la maison. »

répéta Trixie.

« S'il te plaît ! » dit papa. « Ne te mets pas dans tous tes états ! »

Comme si Trixie avait le choix...

Elle se mit à brailler.

Elle se fit toute molle.

Elle faisait vraiment ce qu'elle pouvait pour bien montrer combien elle était fâchée.

Et quand ils arrivèrent
devant leur maison,
papa était fâché, lui aussi.

Maman
ouvrit
la porte et,
aussitôt,
elle demanda :

Où est Guili Lapin ?

Toute la famille descendit la rue en courant.

Ils traversèrent le parc à toute vitesse.

Ils passèrent en trombe devant l'école,

et s'arrêtèrent devant la laverie.

Le papa de Trixie se mit à chercher Guili Lapin.

Il chercha...

et chercha...

et chercha...

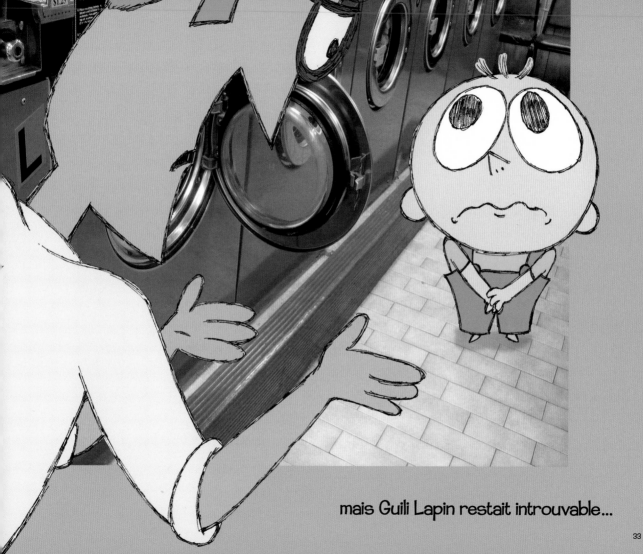

mais Guili Lapin restait introuvable...

Alors le papa de Trixie
chercha encore plus fort.

Jusqu'à ce que...

Et ce furent les premiers mots que Trixie prononça de sa vie.

Ce livre est dédié
à la vraie Trixie et à sa maman.
Un merci tout particulier
à Anne et à Alexandra,
à Noah, Megan et Edward,
à la laverie du 358 sur la 6ᵉ Avenue,
et à mes voisins de Park Slope, Brooklyn.

-Mo